EL BARCO
DE VAPOR

La bruja Mon

Pilar Mateos

Ilustraciones de Ana Gómez

LITERATURA**SM**•COM

Primera edición: noviembre de 1984
Cuadragésima novena edición: noviembre de 2016

Gerencia editorial: Gabriel Brandariz
Coordinación editorial: Carolina Pérez
Coordinación gráfica: Lara Peces

© del texto: Pilar Mateos, 1984
© de las ilustraciones: Ana Gómez, 2016
© Ediciones SM, 2016
  Impresores, 2
  Parque Empresarial Prado del Espino
  28660 Boadilla del Monte (Madrid)
  www.grupo-sm.com

ATENCIÓN AL CLIENTE
Tel.: 902 121 323 / 912 080 403
e-mail: clientes@grupo-sm.com

ISBN: 978-84-675-8765-4
Depósito legal: M-5363-2016
Impreso en la UE / *Printed in EU*

La rana

La bruja Mon
entró en una tienda de vídeos.
Se quedó embobada contemplando
en una pantalla un número musical.

Hasta que una niña
le dio un pisotón sin querer.
    –¡Huy, perdone! –murmuró la niña.
La bruja Mon se puso hecha una fiera.
    –¡Ahora mismo te convierto en una rana!

Sacó su vieja varita
y dijo las palabras mágicas:

Tufa, cotufa, trucalatrufa.
Chiris, chirabo, chiridinabo.
Mala, malico, maladapico.
Hoy tengo gana
de hacer la rana.

Al momento,
la niña se transformó en una rana
y empezó a croar escandalosamente.

El policía que estaba vigilando la tienda
se acercó a ver lo que pasaba.

–Aquí no está permitida
la presencia de ranas –le dijo a la bruja Mon–.
¡Tendrá que pagar una multa!

–¡Y un jamón! –dijo la bruja Mon.

El policía se puso tan serio
que la bruja Mon se asustó.
Sacó sus ahorros de trescientos años,
contó las monedas, pagó la multa
y salió de la tienda a todo correr.

La rana la perseguía a grandes saltos.
La alcanzó enseguida y se montó
sobre su zapato derecho.

   –¡Os! ¡Os! –hacía la bruja para espantarla.
Y la rana que no se iba…

Conque, en esto,
llegó un guardia y le dijo:
    –Esta rana no tiene collar.
Está prohibido que los animales
circulen sin collar.
¡Tendrá que pagar una multa!

–¡Y un jamón! –dijo la bruja Mon.
El guardia se puso muy serio
y la bruja Mon se asustó.
Sacó sus ahorros de trescientos años,
pagó la multa y salió corriendo.

De un brinco, se subió a un autobús
en marcha. Y la rana, con ella.
El conductor dijo:
–Está prohibido llevar ranas
en los transportes públicos.
¡Tendrá que pagar una multa!

La bruja Mon se hizo la despistada.
–¿Qué rana? –preguntaba.
Y murmuró a escondidas
las palabras mágicas,
y la rana recuperó su forma de niña.

–¿Ve usted como no había ninguna rana?
–le decía la bruja al conductor.

–En ese caso, tendrá usted que pagar
el billete de la niña.

–¡Y un jamón! –dijo la bruja Mon.
Y se tiró del autobús en marcha.

Ya hace mucho tiempo que la bruja Mon
no convierte a las niñas en ranas.

La apuesta

La bruja Mon hizo una apuesta
con su amiga Pirula:

–Te apuesto a que hago cincuenta juegos
de magia.

–Te apuesto a que no –dijo la bruja Pirula.

–Te apuesto a que sí –dijo la bruja Mon.

Pero no se apostaron ninguna cosa.

La bruja Mon se fue por el camino.
Estaba de muy buen humor.
   –¡Si es facilísimo! –se decía.

Al primer árbol que se encontró
lo convirtió en una piedra.
A la primera piedra que se encontró
la convirtió en un árbol.
Enseguida descubrió una rosa
y la convirtió en una margarita.
A continuación descubrió una margarita
y la convirtió en una rosa.

Después vio a una niña
que se estaba cayendo por un barranco,
y la transformó en un pájaro azul.

Eso salvó a la niña:
en vez de estrellarse contra el suelo,
la niña agitó sus alas azules
y levantó el vuelo, cantando.

Más tarde, la bruja Mon saludó
a una viejecita que llevaba en una mano
una botella de vino, y en la otra,
una botella de leche.

La bruja Mon, con una sonrisa malvada,
convirtió el vino en leche, y la leche, en vino,
y la viejecita ni notó el cambio.

Por allí cerca había un burro.
La bruja Mon lo transformó en un cordero.

Y en un prado, más allá, había un cordero.
La bruja Mon lo transformó en un burro.
Al perro negro del cazador
lo convirtió en un gato blanco.
Al gato blanco del cazador
lo convirtió en un perro negro.

Luego divisó un pájaro azul
posado en una rama;
parecía un poco asustado,
como si no le gustara ser pájaro.

La bruja Mon lo convirtió en una niña.
Y así siguió hasta que hizo
sus cincuenta juegos de magia.

Entonces fue a avisar a su amiga Pirula.

–Ya están –le dijo.

–A verlos.

La bruja Pirula miró al camino,
y vio que todas las cosas estaban igual
que de costumbre. Había árboles y piedras,
margaritas y rosas, corderos y burros.

Vio a la viejecita,
que llevaba, como todos los días,
su botella de leche y su botella de vino.

Vio a la niña, que volvía a su casa,
tan contenta como todos los días
a la misma hora.

Y vio al cazador, que se marchaba de caza,
como todos los días, con su perro negro
y su gato blanco.

–Pues no lo entiendo
–dijo la bruja Mon–.
¡Si yo lo he cambiado todo...!
    –Has perdido la apuesta
–dijo la bruja Pirula.

El reloj

La bruja Mon necesitaba un reloj.

«Lo quiero sumergible», pensó,
«con cronómetro y alarma: que dé las horas,
el día, el mes y el año».

Sacó su varita mágica
y dijo las palabras secretas.
Entonces, delante de la cueva,
apareció un reloj de sol.

Pero el día estaba nublado,
y la bruja Mon no supo si era la hora
del desayuno o la de la comida;
así que se preparó la merienda.

   –Mi varita es tan vieja
que solo fabrica antigüedades
–le contó a Grajano–.
Yo quiero un reloj moderno.

   –Pues quítaselo a un niño
–sugirió el cuervo Grajano.

La bruja Mon se sentó en el umbral,
a esperar a que pasara un niño.

El primero fue un hermano mayor,
de ojos alegres. Y su reloj era sumergible.
La bruja Mon lo vio.

–Dame tu reloj –le dijo.

El hermano mayor sonrió alegremente.
–Yo te lo daría –respondió–.
Pero detrás viene mi hermano mediano,
que tiene un reloj mucho mejor que el mío.

El hermano mediano
era de expresión bondadosa.
Y su reloj tenía cronómetro.
La bruja Mon se fijó muy bien.
—Dame tu reloj —le dijo.

El hermano mediano
sonrió bondadosamente.
    –Yo te lo daría –respondió–.
Pero detrás viene mi hermano pequeño,
que tiene un reloj mucho mejor que el mío.

El hermano pequeño
tenía una carita burlona.
Y su reloj emitía tres alarmas diferentes.
La bruja Mon las oyó.
    –Dame tu reloj –le dijo.

El hermano pequeño
sonrió burlonamente.

–Yo te lo daría –respondió–.
Pero allí está la torre de la catedral,
que tiene un reloj mucho mejor que el mío.

La bruja Mon se empinó
sobre el palo de su escoba
y vio la torre de la catedral.
   –Dame tu reloj –le dijo.

Y el reloj de la catedral
llegó volando por los aires,
con gran estrépito.
Rompió la puerta de la cueva,
aplastó la librería y derribó los muebles.
¡Era un reloj descomunal!
La bruja Mon se quedó mirándolo
con cara de tonta.

De pronto, un ruido atronador
le puso los pelos de punta:
el reloj estaba dando las tres,
y a cada campanada
temblaba el suelo de la cueva
y las paredes parecían venirse abajo.

La bruja Mon salió huyendo despavorida,
tapándose las orejas con las manos.
Esa noche tuvo que dormir
en la torre de la catedral.

El eco

La bruja Mon estaba rabiosa.
Llevaba toda la tarde portándose bien.
¡Ya no podía resistirlo más!
¡Necesitaba urgentemente molestar a alguien!

Pensó:

«Si pasara una niña por aquí,
la convertiría en una tortuga».

Y miró a lo lejos,
por el camino del puente,
a ver si venía alguna niña.
No venía ninguna.

La bruja Mon volvió a pensar:
«Si pasara un niño por aquí,
lo convertiría en elefante».
Y miró a lo lejos,
por el camino de la montaña,
a ver si venía algún niño.
No venía ninguno.

La bruja Mon exclamó:
–¡Qué rabia!
Y siguió andando a la pata coja.

Cuando llegó a la montaña,
divisó la boca de una cueva.
–¡Mira qué bien! –se dijo–.
Ahí dentro habrá murciélagos.
Los convertiré en ballenas
y así no habré perdido la tarde.

Se asomó a la cueva
y vio las peñas húmedas,
el techo altísimo,
la galería oscura y sin final.
Pero no encontró ni un solo murciélago.

–¡Qué raro! –comentó la bruja–.
En las cuevas siempre hay murciélagos.
–¡Murciélagos! –repitió una voz.
–Eso es lo que estoy buscando
–contestó la bruja, distraída–,
pero no hay ni uno.
–¡Ni uno! –afirmó la voz.

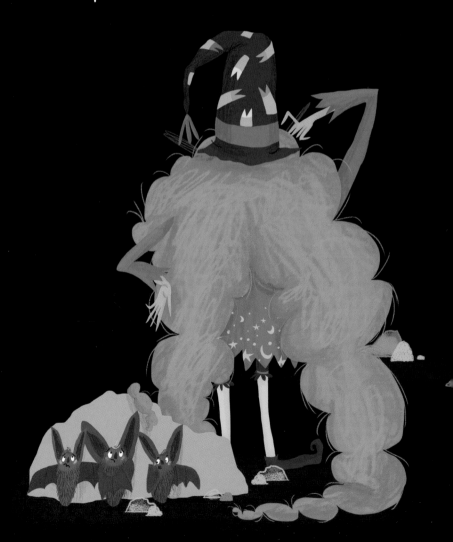

–Es lo que acabo de decir
–dijo la bruja, un poco molesta.

–¡Es lo que acabo de decir! –dijo la voz.

La bruja Mon se puso de mal humor:

–¡Yo lo he dicho primero! –voceó.

–¡Yo lo he dicho primero! –insistió la voz.

La bruja Mon miró al fondo de la cueva
para ver quién hablaba.
Y por más que miró y remiró,
no vio a nadie.

–¿Dónde te escondes? –preguntó.
–¿Dónde te escondes? –preguntó la voz.
–¡Yo no me escondo! –protestó la bruja.
–¡Yo no me escondo! –protestó la voz.

Era una voz antipática y chillona.
Y a la bruja Mon le sonaba a conocida,
como si fuera de alguien de la familia.
¿De quién podría ser?
   –Me da igual –gruñó la bruja–.
Sea de quien sea,
lo voy a convertir en un pez.

Y añadió en voz alta:
–¡Sal si te atreves!
–¡Sal si te atreves! –repitió la voz.

Y la bruja Mon tuvo la sensación
de que se estaba riendo de ella.
    —¡Me estás haciendo burla!
    —¡Haciendo burla! —aseguró la voz.

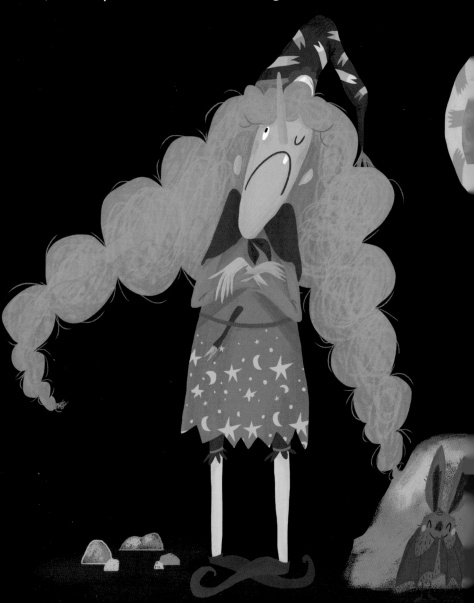

La bruja Mon se puso tan furiosa
que empezó a darse coscorrones
contra las peñas.

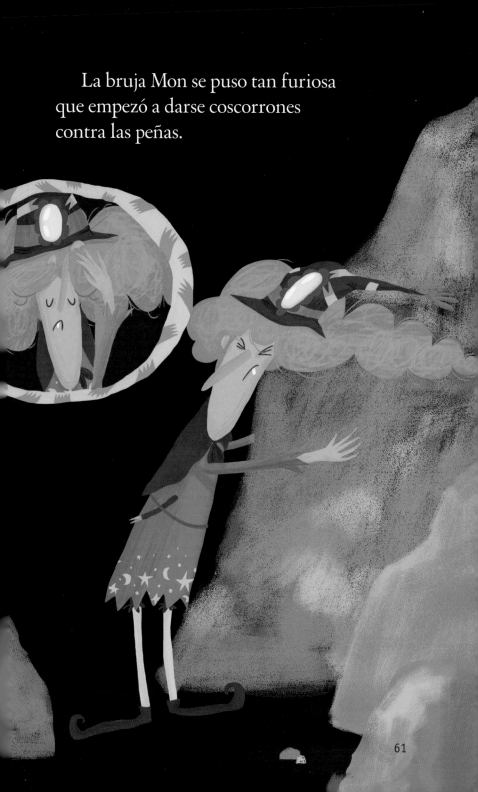

–¡Voy a convertirte en un pez tonto! –rugió.

Y la voz, sin acobardarse,

le devolvió la amenaza:

–¡Voy a convertirte en un pez tonto!

–¿A mí? –dijo la bruja Mon–. ¡Y un jamón!

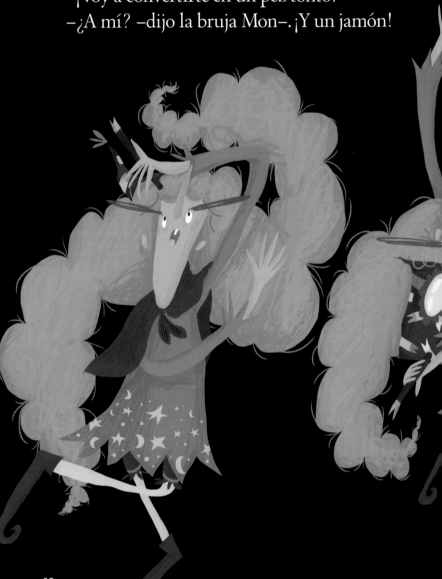

Agitó su polvorienta varita
y dijo rápidamente las palabras secretas:

Tufa, cotufa, trucalatrufa.
Chiris, chirabo, chiridinabo.
Mala, malico, maladapico.
Por una vez,
que salga un pez.

¿Vais a creer lo que sucedió?
La voz repitió exactamente
las palabras secretas, sin olvidar ninguna.
Y la bruja Mon, por arte de magia,
se convirtió en un pez.